tout-petit Montessori

mon coffret sensoriel

texte de Delphine Roubieu
illustrations de Mizuho Fujisawa

Nathan

Favoriser la construction du langage
et enrichir le vocabulaire du tout-petit

Maria Montessori

Née en Italie en 1870, Maria Montessori fut non seulement une des premières femmes diplômées de méde-
cine d'Italie, mais également psychiatre, philosophe,
anthropologue, pédagogue et écrivain.

Elle s'occupa d'abord d'enfants déficients auxquels
elle proposa un matériel spécifique inspiré du travail
de pédagogues et chercheurs français. Les résultats
spectaculaires de ces enfants commencèrent à attirer
l'attention de la presse internationale sur sa méthode.

Quelques années plus tard, en 1907, elle fonda à Rome la *Casa dei bambini* (Maison des enfants), un lieu gratuit qui accueillait les enfants défavorisés. Ce lieu devint pour Maria une base de recherche, un laboratoire d'expérimentation où elle construisit et éprouva sa méthode.

C'est là que, grâce à l'observation des enfants, elle élabora les fondements de sa pédagogie, désormais mondialement connue et reconnue.

Le principe de base de Maria Montessori est de considérer l'éducation non comme une transmission des connaissances par l'adulte, mais plutôt comme **l'accompagnement du développement naturel de l'enfant, grâce à un environnement préparé et adapté aux besoins spécifiques de son âge.**

L'enfant est le maître de ses apprentissages. L'adulte doit être à son service, comme un facilitateur, attentif à tout ce qui peut l'entraver dans son développement. Une entrave, c'est par exemple, un besoin primaire auquel on n'a pas répondu: un ventre affamé, une couche sale, un besoin de sieste, mais c'est également un vêtement trop serré qui empêche l'enfant de bouger, un objet ou jouet trop haut que l'enfant ne peut atteindre par lui-même. Une entrave, c'est encore un adulte qui fait à la place alors que l'enfant peut le faire seul, parce que cela va plus vite, parce qu'il n'a pas la patience de le laisser faire. Combien de conflits et de cris seraient évités si l'adulte entendait cette petite voix qui dit « je veux faire seul, tout seul ».

Pour Maria Montessori, l'enfant est considéré, non seulement comme une personne à part entière, digne de considération et d'intérêt, mais surtout comme l'avenir de la société, concept révolutionnaire pour l'époque ! Elle montre et démontre l'importance de l'éducation et de l'instruction avant l'âge de 6 ans. Les récentes découvertes des neurosciences confirment ce qu'elle avait pressenti, puisqu'il est désormais démontré que 50 % de l'intelligence se forme avant 3 ans et que 90 % du cerveau est constitué à 6 ans.

> « Une période sensible correspond
> à un moment où l'enfant est intrigué
> par un aspect particulier de son
> environnement. »
>
> *Maria Montessori*

Maria Montessori s'est rendu compte que l'enfant passe par différents stades qui lui permettent d'appréhender le monde et d'acquérir de nombreuses compétences. Ces « périodes sensibles », durant lesquelles certains aspects spécifiques de son environnement intriguent et absorbent tout particulièrement l'enfant, sont uniques et transitoires et sont comme une fenêtre brève qui, non exploitée, disparaîtra.

Maria dénombra 6 périodes sensibles distinctes : l'ordre, le mouvement, le langage, le raffinement des sens, le développement social, les petits objets.

Lors de chaque période sensible, l'enfant peut apprendre de nouvelles choses, maîtriser de nouvelles compétences ou développer certaines de ses capacités intellectuelles sans effort et de façon presque inconsciente. Il est donc important de saisir cette opportunité pour permettre à l'enfant de faire des apprentissages. C'est tout l'objet de ce coffret.

••• la période sensible du raffinement des sens

La période sensible du raffinement des sens est une phase importante qui intervient schématiquement entre 18 mois et 5 ans. C'est une période durant laquelle l'enfant absorbe de façon naturelle son environnement à travers ses cinq sens. L'enfant a besoin de toucher pour appréhender son environnement et comprendre les choses. C'est pour cette raison que la pédagogie Montessori repose en grande partie sur l'éducation des sens. La main est le cerveau extérieur de l'enfant, elle lui permet de tout assimiler plus rapidement. C'est par la main que l'enfant découvre le monde. À travers ce coffret, il appréhendera successivement les sensations de doux, de lisse, de rugueux, de piquant, de collant.

●●● la période sensible du langage

L'enfant est prêt pour le langage comme l'oisillon est prêt à voler. De 0 à 6 ans, l'enfant est dans une période sensible au langage, l'apprentissage des langues s'inscrit dans un terreau particulièrement favorable. L'enfant est comme une éponge et absorbe les sonorités, les mots avec une aisance déconcertante. À travers la description des images, l'enfant apprendra non seulement de nouveaux mots, mais pourra allier langage et sensorialité.

quand et comment utiliser ce coffret ?

Les activités de ce coffret vont permettre à votre enfant d'affiner ses sens, de classer des images et d'enrichir son vocabulaire. En outre, elles lui permettront de passer un moment de plaisir avec vous.

Vous pouvez les présenter à votre enfant lorsque sa marche est assurée, c'est-à-dire, lorsqu'il peut marcher en portant un objet, soit à environ 15-18 mois. Choisissez un moment où vous et votre enfant êtes disponibles, dans un environnement calme. Avant de lui présenter, prenez le temps de connaître ce coffret et de bien comprendre les objectifs de l'activité.

Gardez en tête que le but est de passer un moment agréable avec lui. Même s'il y a un objectif pédagogique, n'oubliez pas que c'est quand il y a de la joie et du plaisir que les apprentissages se font le mieux. Si l'enfant n'utilise pas le matériel comme vous l'avez prévu, ce n'est pas grave, il le fera à son rythme.

N'oubliez pas non plus l'esprit absorbant de l'enfant : même s'il a l'air de ne pas prêter attention à ce que vous faites, son cerveau absorbe parfaitement ce qui est en train de se passer. C'est ainsi que dans les ambiances montessoriennes, il n'est pas rare qu'un enfant à qui l'on n'a jamais présenté le matériel sache parfaitement l'utiliser, car il a observé son petit camarade ou bien l'éducateur lors d'une présentation, alors même qu'on avait l'impres-sion qu'il ne regardait pas.

La leçon en 3 temps

La leçon dite « en 3 temps », concept clé de la pédagogie Montessori, est utilisée naturellement par de nombreux parents. Dans un premier temps on décrit l'objet/la caractéristique, puis on demande à l'enfant de nous montrer l'objet qu'on nomme, enfin on demande à l'enfant de nommer lui-même l'objet.

Présentation des cartes à toucher

Dans un premier temps, présentez les cartes à toucher, une par une, en nommant : « *Lisse, c'est lisse* », puis laissez l'enfant explorer la carte à sa guise. Puis prenez la carte suivante : « *Collant, c'est collant* », etc.

Dans un 2e temps, posez les cartes sur une petite table ou sur le sol, et demandez à l'enfant de vous montrer « lisse », « collant », etc.

S'il se trompe, ne le contredisez pas, vous risqueriez de bloquer son enthousiasme, vous pouvez simplement lui dire : *Ça, c'est lisse. et ça, c'est collant.*

Le 3e temps de la leçon : quand l'enfant maîtrise parfaitement les cartes, vous pouvez prendre une carte et lui dire : *Qu'est-ce que c'est ?* C'est à son tour de nommer. S'il ne sait pas, vous pouvez répondre d'un air naturel : *C'est lisse, et ça, qu'est-ce que c'est ?* en présentant une autre carte. N'oubliez pas que l'important est la progression et le plaisir.

Présentation des cartes images

Lorsque l'enfant connaît bien les sensations de lisse, collant, rugueux, etc. Vous pouvez faire la même chose avec les autres cartes du coffret :

1 *Bouteille, c'est une bouteille. Bottes, ce sont des bottes. N'utilisez pas d'article. L'enfant risquerait d'assimiler l'article-mot comme une seule unité.*

2 *Montre-moi la bouteille. Montre-moi les bottes, etc.*

3 *Qu'est-ce que c'est ?*

Association carte sensorielle et images

Une fois que l'enfant maîtrise les noms des images des cartes, vous pouvez prendre les 4 images représentant des objets lisses et la carte à toucher lisse et attirer son attention sur les caractéristiques des bottes : *Regarde, elles sont lisses. La bouteille aussi est lisse, tu vois, comme la carte. Tu touches, tu sens ?*

Au début, explorez une seule sensation : carte lisse et images d'objets lisses pour amener l'enfant à faire le lien entre l'image et la sensation. Si vous avez des objets de la vie quotidienne, n'hésitez pas à lui faire toucher en vrai. Prenez une bouteille, des bottes, faites-lui toucher, faites-le comparer avec la carte : lisse, c'est lisse.

Dans un deuxième temps, quand il maîtrise chaque groupe, disposez devant lui deux cartes à toucher et demandez-lui de mettre dessous les images qui vont avec. Idéalement, prenez des caractéristiques bien opposées : lisse, rugueux.

Quand il a bien compris l'exercice, vous pouvez lui proposer de classer toutes les cartes images sous les cinq cartes sensorielles.

Variantes

N'hésitez pas à jouer à l'explorateur ! Prenez une carte sensorielle, faites-la lui toucher, puis proposez-lui : Viens on cherche des objets lisses/rugueux, collants... dans la maison! À chaque nouvelle trouvaille, vous pouvez dire : *Oui, c'est lisse et cela aussi est lisse ! Et cela ? Qu'est-ce que tu en penses ? Viens, on va comparer avec la carte du coffret.*

Une autre variante consiste, notamment quand l'enfant est en train d'acquérir le vocabulaire des images, à lui faire chercher les objets de la vie réelle et à lui faire toucher. Par exemple : *Bouteille, c'est une bouteille. Cherchons une bouteille. Tu as vu c'est la même chose que sur l'image.* Ou : *Tu me donnes tes bottes ? On met l'image à côté des bottes ?*
N'hésitez pas à avoir les objets à portée de main, car la capacité d'attention d'un tout-petit est très limitée et il ne s'agit pas de fouiller toute la maison à la recherche de cette fameuse paire de bottes !

Bref, vous l'aurez compris, ce coffret est le point de départ de nombreux moments d'exploration, de jeux, d'apprentissages et surtout, de moments de partage et de plaisir à être ensemble. Observez ce petit être qui a soif d'apprendre et vous émerveille chaque jour.

Cartes à associer

Piquant : cactus, barbe, hérisson, paillasson

Lisse : bottes en plastique, bouteille, table, livre

Collant (décoller le film protecteur) : tube de colle, sucette, scotch, sirop

Doux : ours en peluche, chat, panthère, couverture

Rugueux : dos d'éponge, écorce, crépi, langue de chat

●●●●●●●●●●●●●●●●●●●●●●●●●●●●●●●●●●●●

Delphine Roubieu, maman de trois petites filles, est docteur de l'université en anglais et diplômée de l'Institut supérieur Maria Montessori pour les 0-3 ans et les 3-6 ans, Passionnée par la pédagogie Montessori, elle co-fonde, en 2014, **Baby Montessori**, premier réseau de micro-crèches bilingues Montessori de France : babymontessori.fr

Engagée pour faire connaître la pédagogie Montessori auprès du plus grand nombre, l'éducation bienveillante, la motricité libre et le maternage, elle anime également la page Facebook https://www.facebook.com/crechebabymontessori qui est devenue la référence francophone dans ce domaine.